la tarde

"Las cuatro partes del día"
Director de edición: José M.ª Parramón Homs

"La tarde"
Texto: Montserrat Viza
Ilustraciones: Irene Bordoy
© Parramón Ediciones, S.A.
Edición especial: julio, 1992

Editado por Parramón Ediciones, S.A.
Gran Via de les Corts Catalanes, 322-324
08004 Barcelona

Producción: Rafael Marfil Mata
Impreso por: EMSA Barcelona (España)
ISBN: 84-342-0935-7
Printed in Spain

Montserrat Viza · Irene Bordoy

la tarde

 Parramón

A primera hora de la tarde damos un paseo. La maestra nos abre los ojos, nos enseña a mirar.

Nos divierte dibujar, nos gusta pintar, pero el color de la tarde no lo sabemos encontrar.

Es hora de salir del colegio.
¡Adiós! ¡Hasta mañana!

En el campo, a esta hora se recoge el ganado.

Poco a poco las flores se cierran por falta de luz.

Pero, en verano, a esta misma hora los campos están llenos de luz y color.

Con luz o sin ella, la tarde es larga y tenemos tiempo para hacer lo que más nos gusta.

Papá nos espera. ¿Dónde nos
llevará?

A menudo, olvidamos lo que no queremos recordar. ¿Teníamos que ir al dentista? Pero ¿por qué? ¡Si no me duelen los dientes...!

Aún nos queda tiempo de recoger la ropa. ¡Qué limpia y planchada está! ¡Si parece nueva!

¡Cómo le gusta vernos en casa! No para de saltar y ladrar.

Mientras esperan que sus padres vuelvan del trabajo han venido a jugar nuestros vecinos.

En la calle hay mucha agitación. Es hora de cerrar puertas y volver del trabajo. Hora de llegar a casa y ponerse a charlar.

Cuando la TARDE se acaba
empieza la calma.

LA TARDE

El día adelanta como una hormiga, paso a paso...
Una mitad quedó atrás, otra nos espera y ya nos parece que está por acabar.

La tarde, segunda parte del día

En realidad no es la segunda parte del día. Todos sabemos que entre la mañana y la tarde está el mediodía. Pero casi todos nosotros organizamos las actividades diarias en dos partes: mañana y tarde.

Las actividades de la tarde

No son demasiado distintas a las de la mañana, pero tenemos la sensación de que rendimos menos. Precisamente por eso, en las escuelas te enseñan por la mañana las materias que necesitan más concentración y dejan para la tarde las actividades más prácticas o creativas.

La tarde puede parecer muy larga o muy corta

Según la estación del año, la tarde puede ser larga y luminosa si el sol se pone al atardecer o por el contrario, estar invadida desde media tarde por la oscuridad de la noche. La tarde siempre dura lo mismo, pero nosotros la vivimos de distinta forma.

La influencia de la luz sobre las plantas

Es un hecho cierto el que la luz influye de forma decisiva en el crecimiento de los vegetales. Éstos se desarrollan de distinta forma según la luz que reciban.

¿También influye la luz sobre las personas?

Desde luego que sí. Sobre todo se ha demostrado la influencia del clima. A través del cine, o tal vez de los viajes, hemos podido comprobar que son muy distintos los habitantes de las regiones frías y oscuras, a los de las zonas cálidas y soleadas. Pues bien, aunque a menor escala, la cantidad de luz que recibimos durante el día condiciona nuestro comportamiento.

La luz de la tarde

¿Has notado lo diferentes que son la luz de la tarde y la de la mañana? Si tuviésemos que pintarla, ¿de qué color lo haríamos? Es una luz menos agresiva, más cálida. Sin notarlo apenas, nos invita a reducir nuestra actividad. Además, es lógico que eso suceda, pues ya llevamos el desgaste de unas horas de trabajo.

"Las horas bajas"

A las últimas horas de la tarde se les llama "horas bajas". También crepúsculo, ocaso o atardecer. Es el momento justo en que el sol se pone. Es un momento de belleza extraordinaria, casi mágica, sobre todo en días nítidos.

¡Fíjate bien en el color que tiene el cielo entre dos luces!

Al caer de la tarde

En general, al caer de la tarde damos por terminadas las actividades obligatorias e indispensables y pasamos a realizar otras que nos permitan sentir la serenidad del momento.

primera biblioteca de los niños

Concebida para niños de 4 a 6 años, la colección *Primera biblioteca de los niños* está destinada a describir al niño su entorno más cercano –su familia, su casa, su calle, su escuela–, a ayudarle a conocer su propio cuerpo –los cinco sentidos–, o a explicarle conceptos y fenómenos que escapan a su comprensión –las partes del día, el ritmo anual de las estaciones, etc. Formada por diversas series de cuatro o de cinco libros sobre un tema común, el propósito de esta colección es el de estimular la sensibilidad y la imaginación del niño, contribuyendo además a ampliar su práctica de la lectura y a familiarizarlo con el libro, a través de la formación de su *primera biblioteca.*

LAS CUATRO ESTACIONES

La primavera
El verano
El otoño
El invierno

LOS CINCO SENTIDOS

La vista
El oído
El olfato
El gusto
El tacto

LOS CUATRO ELEMENTOS

La tierra
El aire
El agua
El fuego

LAS CUATRO EDADES

Los niños
Los jóvenes
Los padres
Los abuelos

UN DÍA EN...

la ciudad
el campo
el mar
la montaña

LA VIDA...

bajo la tierra
sobre la tierra
en el aire
en el mar

VIAJO...

en carro
en tren
en avión
en barco

LAS CUATRO PARTES DEL DÍA

La mañana
La tarde
El anochecer
La noche

ESTOY EN...

mi casa
mi escuela
mi calle
mi jardin

UN DÍA EN LA ESCUELA

Mi primer día de colegio
La clase
El recreo
Salimos de la escuela

MI PRIMERA VISITA...

al zoo
a la granja
al aviario
al acuario

HOY ES FIESTA

Cumpleaños
Carnaval
Pascua
Navidad

CUANDO...

me lavo
me visto
como
estoy enfermo

MIS ANIMALES PREFERIDOS

Mi perro
Mi gato
Mi pájaro
Mi hámster

LA NATURALEZA

El bosque
El jardín
El huerto
Los árboles frutales

LOS DEPORTES EN...

la nieve
el mar
la montaña
la ciudad